Tom Sawyer

Il était une fois un garçon espiègle
du nom de Tom Sawyer. Il vivait
dans un petit village situé au bord
du fleuve Mississippi, chez sa tante
Polly avec Sidney, son demi-frère,
et Mary, sa cousine. Tom respectait
rarement les consignes de sa tante.

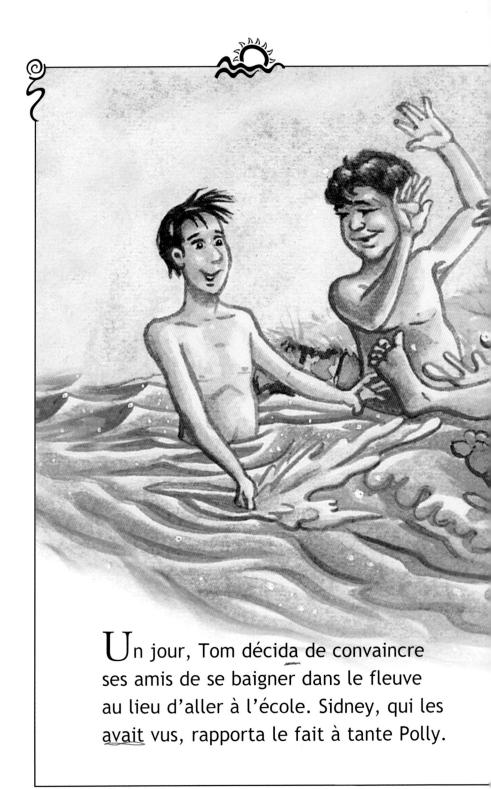

Un jour, Tom décida de convaincre
ses amis de se baigner dans le fleuve
au lieu d'aller à l'école. Sidney, qui les
avait vus, rapporta le fait à tante Polly.

« Il faudrait bien qu'il apprenne
la leçon ! » se dit-elle, en se
demandant bien comment elle
allait le punir.

— Jeune homme, apostropha-t-elle Tom. Tu vas repeindre toute la clôture devant la maison, ce samedi, au lieu de jouer avec tes amis. Elle mesure 30 mètres de long sur 2 mètres de haut. Ainsi, tu auras amplement le temps de réfléchir à l'importance d'être assidu à l'école !

pinceau

Samedi arriva, et Tom ne put
échapper à sa punition. Tante Polly
lui remit un pinceau et de la peinture.
Le garçon, craignant la réaction de
ses amis, se mit à réfléchir, non pas
à l'école, mais bien à une astuce
pour se tirer d'affaire.

passe sample

gérund

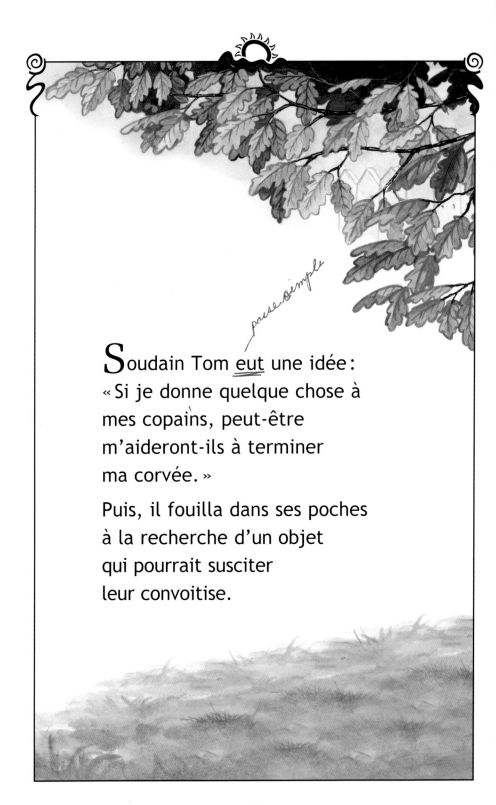

passé simple

Soudain Tom eut une idée:
« Si je donne quelque chose à
mes copains, peut-être
m'aideront-ils à terminer
ma corvée. »

Puis, il fouilla dans ses poches
à la recherche d'un objet
qui pourrait susciter
leur convoitise.

Pauvre Tom ! Ses poches
ne contenaient rien d'autre
que...

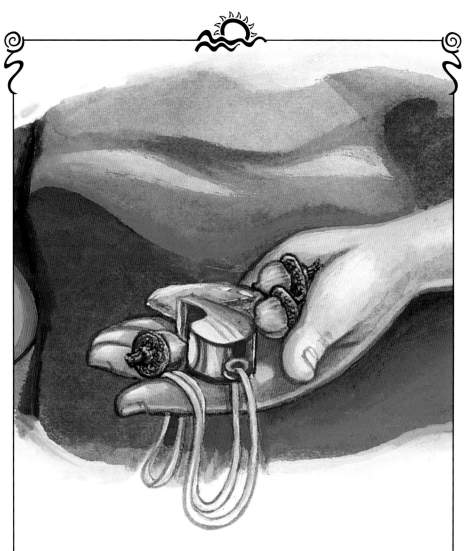

... quelques glands, une pierre plate pour faire des ricochets sur l'eau et un sifflet brisé.

Il rangea le tout dans ses poches et se remit à la tâche tout en se creusant les méninges.

Tout à coup, il aperçut
Ben Rogers qui s'approchait.
Tom se mit à siffler joyeusement.

— Dommage que tu ne puisses pas
venir te baigner avec nous, le
nargua Ben.

— Oh, je peux aller me baigner
quand je veux. Tu vois, ce n'est
pas tous les jours qu'un garçon a
la chance de peindre une clôture !

—Est-ce que je peux essayer? demanda Ben.

—Je ne pense pas. Tante Polly est très stricte, et il n'y a pas beaucoup de personnes qui peuvent faire le travail correctement.

—Allez, je te donne ma pomme!

—Bon, d'accord, juste quelques minutes, lui dit Tom.

Bill Fischer, un autre compagnon de classe, passa par là et vit que Ben avait l'air de bien se divertir.

Il offrit son cerf-volant à Tom pour qu'il accepte de lui laisser peindre un bout de clôture, à lui aussi.

— Bon, d'accord, si tu insistes, lui dit Tom.

Bientôt, tous les amis de Tom voulurent avoir la chance de participer à la réfection de la clôture.

Ainsi, Tom échangea le pinceau contre un ballon, une balle, un harmonica et bien d'autres trésors. À la fin de la journée, les planches comptaient trois couches de peinture !

Lorsque tante Polly vint inspecter les travaux finis, elle s'exclama :

— Tom, tu as fait de l'excellent travail ! Je suis très fière de toi. Pour te récompenser, je te donne cette belle pomme. Tu peux maintenant aller t'amuser avec tes copains !

En effet, Tom était vraiment
très fier de lui, d'autant plus que
tante Polly ne se sera jamais rendu
compte de la façon dont il aura
procédé pour s'acquitter de
sa tâche !

Quel petit espiègle !